携手建设更加美好的世界

——在中国共产党与世界政党高层对话会上的主旨讲话

（2017年12月1日）

习 近 平

人 民 出 版 社

携手建设更加美好的世界

——在中国共产党与世界政党高层对话会上的主旨讲话

（2017 年 12 月 1 日）

习　近　平

尊敬的各国政党领导人，

女士们，先生们，朋友们：

大家下午好！今天，有机会同来自世界各国的政党和政治组织领导人一起出席中国共产党与世界政党高层对话会，我感到十分高兴。年终岁末，大家工作都很繁忙，仍抽出宝贵时间齐聚北京，共商合作大计，充分体现了大家对人类发展和世界前途的关心。

在这里，我谨代表中国共产党，并以我个人的名义，向远道而来的各国朋友表示热烈的欢迎！中共十九大召开时，很多政党和政治组织及其领导人来信来电表示祝贺，我愿利用今天的机会，向大家表示衷心的感谢！

中共十九大规划了中国从现在到本世纪中叶的发展蓝图，宣示了中方愿同各方推动构建人类命运共同体的真诚愿望。政党在国家政治生活中发挥着重要作用，也是推动人类文明进步的重要力量。在座各位是来自世界各国近300个政党和政治组织的领导人。我愿同大家分享我们的心得。

女士们、先生们、朋友们！

古往今来，过上幸福美好生活始终是人类孜孜以求的梦想。在几千年文明发展史上，人类创造了灿烂的文明成果，但战争和冲突从未间断，加上各种自然灾害、疾病瘟疫，人类经历了无数的苦难，付出了惨痛的代价。今天，互联网、大数据、云计算、量子卫星、人工智能迅猛发展，人类生活的关联前所未有，同时人类面临的全球性问题数量之多、规模之大、程度之深也前所未有。世界各国人民前途命运越来越紧密地联系在一起。

面对这种局势，人类有两种选择。一种是，人们为了争权夺利恶性竞争甚至兵戎相见，这很可能带来灾难性危机。另一种是，人们顺应时代发展潮流，齐心协力应对挑战，开展全球性协作，这就将为构建人类命运共同体创造有利条件。我们要抓住历史机遇，作出正确选择，共同开创人类更加光明的未来。

中华民族拥有悠久历史和灿烂文明，但近代以后历经血与火的磨难。中国人民没有向命运屈服，而是奋起抗争、自强不息，经过长期奋斗，而今走上了实现中华民族伟大复兴的康庄大道。回顾历史，支撑我们这个古老民族走到今天的，支撑5000多年中华文明延绵至今的，是植根于中华民族血脉深处的文化基因。中华民族历来讲求“天下一家”，主张民胞物与、协和万邦、天下大同，憧憬“大道之行，天下为公”的美好世界。我们认为，世界各国尽管有这样那样的分歧矛盾，也免不了产生这样那样的磕磕碰碰，但世界各国人民都生活在同一片蓝天下、拥有同一个家园，应该是一家人。世界各国人民应该秉持“天下一家”理念，张开怀抱，彼此理解，求同存异，共同为构建人类命运共同体而努力。

2013年，我首次提出构建人类命运共同体的倡议。我高兴地看到，中国同世界各国的友好合作不断拓展，人类命运共同体理念得到越来越多人的支持和赞同，这一倡议正在从理念转化为行动。

我提出“一带一路”倡议，就是要实践人类命运共同体理念。4年来，共建“一带一路”已成为有关各国实现共同发展的巨大合作平台。涓涓细流汇成大海，点点星光点亮银河。我深信，只要各方树立人类命运共同体理念，一起来规划，一起来实践，一点一滴坚持努力，日积月累不懈奋斗，构建人类命运共同体的目标就一定能够实现。

女士们、先生们、朋友们！

人类命运共同体，顾名思义，就是每个民族、每个国家的前途命运都紧紧联系在一起，应该风雨同舟，荣辱与共，努力把我们生于斯、长于斯的这个星球建成一个和睦的大家庭，把世界各国人民对美好生活的向往变成现实。

——我们要努力建设一个远离恐惧、普遍安全的世界。纵观人类文明发展进程，尽管千百年来人类一直期盼永久和平，但战争从未远离，人类始终面临着战火的威胁。人类生存在同一个地球上，一国安全不能建立在别国不安全之上，别国面临的威胁也可能成为本国的挑战。面对日益复杂化、综合化的安全威胁，单打独斗不行，迷信武力更不行。我们应该坚持共同、综合、合作、可持续的新安全观，营造公平正义、共建共享的安全格局，共同消除引发战争的根源，共同解救被枪炮驱赶的民众，共同保护被战火烧灼的妇女儿童，让和平的阳光普照大地，让人人享有安宁祥和。

——我们要努力建设一个远离贫困、共同繁荣的世界。今天的世界，物质技术水平已经发展到古人难以想象的地步，但发展不平衡不充分问题仍然普遍存在，南北发展差距依然巨大，贫困和饥饿依然严重，新的数字鸿沟正在形成，世界上还有很多国家的民众生活在困境之中。如果奉行你输我赢、赢者通吃的老一套逻辑，如果采取尔虞我诈、以邻为壑的老一套办法，结果必然是封上了别人的门，也堵上了自己的路，侵蚀的是自己发展的根基，损害的是全人类的未来。我们应该坚持你好我好大家好的理念，推进开放、包容、普惠、平衡、共赢的经济全球化，创造全人类共同发展的良好条件，共同推动世界各国发展繁荣，共同消除许多国家民众依然面临的贫穷落后，共同为全球的孩子们营造衣食无忧的生活，让发展成果惠及世界各国，让人人享有富足安康。

——我们要努力建设一个远离封闭、开放包容的世界。中国有句古话："万物并育而不相害，道并行而不相悖。”文明的繁盛、人类的进步，离不开求同存异、开放包容，离不开文明交流、互学互鉴。历史呼唤着人类文明同放异彩，不同文明应该和谐共生、相得益彰，共同为人类发展提供精神力量。我们应该坚持世界是丰富多彩的、文明是多样的理念，让人类创造的各种文明交相辉映，编织出斑斓绚丽的图画，共同消除现实生活中的文化壁垒，共同抵制妨碍人类心灵互动的观念纰缪，共同打破阻碍人类交往的精神隔阂，让各种文明和谐共存，让人人享有文化滋养。

——我们要努力建设一个山清水秀、清洁美丽的世界。地球是人类的共同家园，也是人类到目前为止唯一的家园。现在，有人正在外太空为人类寻找新的家园，但这还是一个遥远的梦想。在可预见的将来，人类都要生活在地球之上。这是一个不可改变的事实。我们应该共同呵护好地球家园，为了我们自己，也为了子孙后代。我们应该坚持人与自然共生共存的理念，像对待生命一样对待生态环境，对自然心存敬畏，尊重自然、顺应自然、保护自然，共同保护不可替代的地球家园，共同医治生态环境的累累伤痕，共同营造和谐宜居的人类家园，让自然生态休养生息，让人人都享有绿水青山。

女士们、先生们、朋友们！

当前，世界格局在变，发展格局在变，各个政党都要顺应时代发展潮流、把握人类进步大势、顺应人民共同期待，把自身发展同国家、民族、人类的发展紧密结合在一起。我们应该志存高远、敢于担当，着眼本国和世界，着眼全局和长远，自觉担负起时代使命。我们应该深入体察民情，把民众需求转化为政党的理念、宗旨、目标，制定符合实际的实施方案。构建人类命运共同体，需要世界各国人民普遍参与。我们应该凝聚不同民族、不同信仰、不同文化、不同地域人民的共识，共襄构建人类命运共同体的伟业。

实现伟大梦想需要各方面智慧和力量。我们应该全方位、多层次、多角度集思广益，从实践中总结经验、寻找思路、升华思想、获取动力。不同国家的政党应该增进互信、加强沟通、密切协作，探索在新型国际关系的基础上建立求同存异、相互尊重、互学互鉴的新型政党关系，搭建多种形式、多种层次的国际政党交流合作网络，汇聚构建人类命运共同体的强大力量。

事要去做才能成就事业，路要去走才能开辟通途。构建人类命运共同体是一个历史过程，不可能一蹴而就，也不可能一帆风顺，需要付出长期艰苦的努力。为了构建人类命运共同体，我们应该锲而不舍、驰而不息进行努力，不能因现实复杂而放弃梦想，也不能因理想遥远而放弃追求。

女士们、先生们、朋友们！

中国共产党是为中国人民谋幸福的党，也是为人类进步事业而奋斗的党。中国共产党是世界上最大的政党。我说过，大就要有大的样子。中国共产党所做的一切，就是为中国人民谋幸福、为中华民族谋复兴、为人类谋和平与发展。我们要把自己的事情做好，这本身就是对构建人类命运共同体的贡献。我们也要通过推动中国发展给世界创造更多机遇，通过深化自身实践探索人类社会发展规律并同世界各国分享。我们不“输入”外国模式，也不“输出”中国模式，不会要求别国“复制”中国的做法。中国共产党将始终做到以下几条。

第一，一如既往为世界和平安宁作贡献。将近100 年前，中国共产党在中国社会的剧烈动荡中诞生，成立时的任务之一就是结束中国从 19 世纪中叶起陷入的战乱频仍、民不聊生的悲惨境地。从 1921年到 1949 年，为实现中国和平稳定、中国人民安居乐业,中国共产党团结带领中国人民进行了长达28年的武装斗争,付出了巨大牺牲。所以,中国共产党人深知和平的可贵,也具有维护和平的坚定决心。中国将高举和平、发展、合作、共赢的旗帜,始终不渝走和平发展道路,积极推进全球伙伴关系建设,主动参与国际热点难点问题的政治解决进程。目前,中国累计派出3.6万余人次维和人员,成为联合国维和行动的主要出兵国和出资国。此时此刻,2500多名中国官兵正在8个维和任务区不畏艰苦和危险,维护着当地和平安宁。中国将积极参与全球治理体系改革和建设,推动国际政治经济秩序朝着更加公正合理的方向发展。中国无论发展到什么程度,都永远不称霸,永远不搞扩张。我们倡议世界各国政党同我们一道,做世界和平的建设者、全球发展的贡献者、国际秩序的维护者。

第二,一如既往为世界共同发展作贡献。中国共产党从人民中走来、依靠人民发展壮大,历来有着深厚的人民情怀,不仅对中国人民有着深厚情怀,而且对世界各国人民有着深厚情怀,不仅愿意为中国人民造福,也愿意为世界各国人民造福。长期以来,中国为广大发展中国家提供了大量无偿援助、优惠贷款，提供了大量技术支持、人员支持、智力支持，为广大发展中国家建成了大批经济社会发展和民生改善项目。今天，成千上万的中国科学家、工程师、企业家、技术人员、医务人员、教师、普通职工、志愿者等正奋斗在众多发展中国家广阔的土地上，同当地民众手拉手、肩并肩，帮助他们改变命运。根据中共十九大的安排，到2020年中国将全面建成小康社会，到2035年中国将基本实现社会主义现代化，到本世纪中叶中国将建成富强民主文明和谐美丽的社会主义现代化强国。这将造福中国人民，也将造福世界各国人民。我们倡议世界各国政党同我们一道，为世界创造更多合作机会，努力推动世界各国共同发展繁荣。

第三，一如既往为世界文明交流互鉴作贡献。他山之石，可以攻玉。中国共产党历来强调树立世界眼光，积极学习借鉴世界各国人民创造的文明成果，并结合中国实际加以运用。马克思主义就是中国共产党人从国外学来的科学真理。我们结合中国实际，不断推进马克思主义中国化时代化大众化，使之成为指导中国共产党领导中国人民不断前进的科学理论。中国共产党将以开放的眼光、开阔的胸怀对待世界各国人民的文明创造，愿意同世界各国人民和各国政党开展对话和交流合作，支持各国人民加强人文往来和民间友好。未来5年，中国共产党将向世界各国政党提供1.5万名人员来华交流的机会。我们倡议将中国共产党与世界政党高层对话会机制化，使之成为具有广泛代表性和国际影响力的高端政治对话平台。

女士们、先生们、朋友们！

2000多年前，中国古代思想家孔子就说，益者三友，友直、友谅、友多闻。中国共产党愿广交天下朋友。长期以来，中国共产党同世界上160多个国家和地区的400多个政党和政治组织保持着经常性联系，“朋友圈”不断扩大。面向未来，中国共产党愿同世界各国政党加强往来，分享治党治国经验，开展文明交流对话，增进彼此战略信任，同世界各国人民一道，推动构建人类命运共同体，携手建设更加美好的世界！

最后，祝中国共产党与世界政党高层对话会圆满成功！

谢谢大家。

图书在版编目(CIP)数据

携手建设更加美好的世界:在中国共产党与世界政党高层对话会上的主旨讲话/习近平 著. —北京:人民出版社,2017.12

ISBN 978-7-01-018748-8

Ⅰ.①携… Ⅱ.①习… Ⅲ.①习近平-讲话-学习参考资料 ②政党-世界-学习参考资料 Ⅳ.①D2-0②D564

中国版本图书馆 CIP 数据核字(2017)第 313123 号

(RMC-ZJDXI-055-20171201)

携手建设更加美好的世界

XIESHOU JIANSHE GENGJIA MEIHAO DE SHIJIE

——在中国共产党与世界政党高层对话会上的主旨讲话

(2017 年 12 月 1 日)

习　近　平

人民出版社 出版发行

(100706　北京市东城区隆福寺街 99 号)

北京新华印刷有限公司印刷　新华书店经销

2017 年 12 月第 1 版　2017 年 12 月北京第 1 次印刷

开本:880 毫米×1230 毫米 1/32　印张:0.5

字数:7 千字

ISBN 978-7-01-018748-8　定价:2.00 元

邮购地址 100706　北京市东城区隆福寺街 99 号

人民东方图书销售中心　电话 (010)65250042　65289539